PERLES DE VIE

Précis de sagesse portative

DU MÊME AUTEUR

Théâtre (Grasset)

Littérature

(Suite en fin d'ouvrage)

RENÉ DE OBALDIA
de l'Académie française

PERLES DE VIE

Précis de sagesse portative

BERNARD GRASSET
PARIS

Photo de couverture : DR

ISBN : 978-2-246-81273-9

© *Éditions Grasset & Fasquelle, 2017.*

Nous sommes vraiment abandonnés comme des enfants perdus dans la forêt. Quand tu es devant moi et que tu me regardes, que sais-tu des souffrances qui sont en moi et que sais-je des tiennes ?

Et si je me jetais à tes pieds en pleurant et en te parlant de moi, que saurais-tu de plus que ce que tu sais de l'enfer quand quelqu'un te raconte qu'il est chaud et terrible ?

Ne serait-ce que pour cela, nous devrions, nous autres hommes, être les uns devant les autres, aussi respectueux, aussi pensifs, aussi aimants que devant la porte de l'enfer.

FRANZ KAFKA

Préface

Chers lecteurs,

Je vais bientôt me quitter. Oui, disparaître de cette planète. Et il m'est venu à l'idée, encouragé par mon cher éditeur, de rassembler moult pensées, citations (la plupart méconnues), engrangées tout au long de mon existence, et de vous les léguer en héritage, dans l'espoir que pour vous aussi, elles seront source de réflexions, méditations, voire matière à rire et à pleurer.

« Tout au long de mon existence ». Existence riche en métamorphoses : poèmes, romans, théâtre, mémoires (*Exobiographie*) aussi, de nombreux voyages. Oui, « Monsieur le Comte » a essuyé bien des longitudes et des latitudes.

Mais que ce soit à Ouagadougou, Florence, San Francisco ou Reykjavik, l'homme n'est-il pas partout le même, soumis à l'incongruité de l'existence et, en fin de compte, infiniment pathétique ?

Certaines de ces citations m'ont bien sûr frappé plus que d'autres. Ainsi, de Fernando Pessoa : « Aujourd'hui, je me sens aussi lucide que si je n'existais pas » ; de Chesterton : « Les anges volent parce qu'ils se prennent eux-mêmes à la légère » ; de Kafka : « J'ai peu de choses en commun avec moi-même » ; de Nerval : « Je voyage pour vérifier mes songes ».

Aussi, lors de ma réception à l'Académie française où je succédais à Julien Green, j'avais souligné comment celui-ci avait été hanté par le Malin, et m'était revenu à l'esprit le mot merveilleux de Cocteau : « Sans le Diable, Dieu n'aurait jamais atteint le grand public. »

Oui, de quoi réfléchir avant de faire des enfants !

Chers lecteurs, chers obaldiens, à vous, selon vos affinités, vos humeurs, de vous approprier une perle rare.

Je vais maintenant prendre congé de vous non sans vous gratifier cette fois d'un proverbe bantou : « Mon ami n'est pas mort puisque je vis encore. »

Achetez-moi l'ahurissement.

TCHOUANG-TSEU

Si vous voulez devenir roi d'Angleterre, vous renoncez au poste de bedeau à Brompton.

CHESTERTON

Le romancier travaille. Le poète souffre.

MAX JACOB

Je dresse le plan de mes batailles
avec le songe de mes soldats endormis.

Napoléon

On ne s'appuie que sur ce qui résiste.

François Andrieux

Sans le diable, Dieu n'aurait jamais
atteint le grand public.

Jean Cocteau

Le théâtre : la réflexion active de
l'homme sur lui-même et sur sa folie.

Novalis

La femme qui contient toute la
nature sous un petit volume a pour

norme de dissoudre les éléments mâles imparfaits.

LE SÂR PÉLADAN

La vie est une tragédie pour ceux qui la sentent et une comédie pour ceux qui la pensent.

WALPOLE

Il n'y a que la bêtise humaine pour me donner une image de l'infini.

JEAN LORRAIN

J'ai peu de choses en commun avec moi-même.

FRANZ KAFKA

L'homme est comme Dieu l'a fait et bien souvent pire.

CERVANTES

Le vrai bonheur serait de se souvenir du présent.

JULES RENARD

Les anges volent parce qu'ils se prennent eux-mêmes à la légère.

CHESTERTON

L'expérience : un peigne pour peigner les chauves.

TCHOUANG-TSEU

La vie est triste, l'art est gai.

FRIEDRICH DÜRRENMATT

Dieu connaît aussi son enfer : c'est son amour pour les hommes.

HANS URS VON BALTHASAR

Nous vivons à une époque épuisante pour l'âme.

JULIEN GREEN

Le véritable amour c'est l'âme qui enveloppe le corps.

NIETZSCHE

Ne pas rire, ne pas désespérer, ne pas maudire, mais comprendre.

SPINOZA

Dieu m'a créée sans mon consentement.

MARIE-ANTOINETTE

Il est extrêmement difficile de faire des prophéties, surtout lorsqu'elles concernent le futur.

PROVERBE CHINOIS

On ne commande à la nature qu'en lui obéissant.

FRANCIS BACON

Un pessimiste est un optimiste bien informé.

PROVERBE RUSSE

Les mots non prononcés sont les fleurs du silence.

PROSPER MÉRIMÉE

Il faut faire son salut avec ce qui devrait entraîner notre perte.

JEAN PAULHAN

Aujourd'hui, je me sens aussi lucide que si je n'existais pas.

FERNANDO PESSOA

Être moderne, c'est bricoler dans l'incurable.

EMIL CIORAN

PERLES DE VIE

Il faut s'habituer à tout dans la vie, même à l'immortalité.

GASTON LEROUX

Traduire de la poésie, c'est comme vouloir empailler un clair de lune.

HENRICH HEINE

Tirons notre courage de notre désespoir même.

SÉNÈQUE

Il faut être indulgent pour l'homme si l'on songe à l'époque à laquelle il a été créé.

ALPHONSE ALLAIS

Ce qui fait du bruit ne fait pas de bien. Ce qui fait du bien ne fait pas de bruit.

SAINT FRANÇOIS DE SALES

Pour devenir centenaire, il faut commencer jeune.

PROVERBE RUSSE

Lorsque je vois un aigle, je vois une portion de l'esprit.

WILLIAM BLAKE

Le labeur cesse où commence l'amour.

SAINT AUGUSTIN

Rien n'est si malaisé que d'apprendre à jouer le rôle principal dans les événements de sa propre existence.

O.V. DE MILOSZ

La pureté est le pouvoir de contempler la souillure.

SIMONE WEIL

Pierre, mon fils, est issu de mon second lit, Eva, de mon divan, Sébastien de mon pouf.

OBALDIA

L'escargot est naturellement héroïque : l'escargot ne recule jamais.

ALEXANDRE VIALATTE

Une femme fidèle : une femme qui s'acharne après un seul homme.

FRANCIS DE MIOMANDRE

Chaque être crie en silence pour être lu autrement.

SIMONE WEIL

La vérité est peut-être triste.

ERNEST RENAN

On me disait à quinze ans : tu verras quand tu en auras cinquante. Aujourd'hui j'ai cinquante ans et je n'ai rien vu.

ERIK SATIE

Le héros porte une armure. Le saint est nu.

SIMONE WEIL

La tradition, c'est la démocratie des morts.

CHESTERTON

Hiroshima, Nagasaki, milliers d'hommes pulvérisés, envolés dans l'atmosphère. La résurrection des corps risque de prendre un certain temps.

OBALDIA

Nous sommes tous ensemble dans la nuit de l'instinct. Les culs se télégraphient.

ANTONIN ARTAUD

Pour bien écrire, il faut sauter les idées intermédiaires.

MONTESQUIEU

Si un homme me tient à distance, ma consolation c'est qu'il s'y tient aussi.

JONATHAN SWIFT

Une seule chose est nécessaire : tout.

CHESTERTON

Une cage partit à la recherche d'un oiseau.

FRANZ KAFKA

L'ennui lorsque je vais mourir, c'est que je vais me manquer.

ALPHONSE ALLAIS

En temps de paix, les fils enterrent leurs pères ; en temps de guerre, les pères enterrent leurs fils.

HERODOTE

Enfermer le dernier soupir dans un flacon stérilisé.

OBALDIA

Je n'aime pas l'idée d'avoir à choisir entre le ciel et l'enfer. J'ai des amis dans les deux.

MARK TWAIN

Ne pas confondre la pesanteur avec la gravité.

GASTON BACHELARD

L'inspiration : une jeune fille aux seins de libellule.

JEAN PAULHAN

L'homme est devenu inférieur à ses œuvres.

KARL JASPERS

La télévision, ce chewing-gum pour l'œil.

JEAN-LOUIS CURTIS

Réincarnation : il n'est pas plus étonnant de naître deux fois qu'une.

GASTON BACHELARD

La mort ? Je suis habitué ; j'ai été si longtemps mort avant de naître.

JEAN COCTEAU

La vie n'a pas de graisse.

PROVERBE BANTOU

La surface la plus passionnante de la terre, c'est pour nous le visage humain.

LICHTENBERG

Je voyage pour vérifier mes songes.

GÉRARD DE NERVAL

Impossible de vous dire mon âge, il change tout le temps.

Alphonse Allais

Je n'ai plus l'âge de mourir jeune.

Jules Renard

Tout accomplissement est suppressif.

Paul Valéry

Être assis sur des nuages et chanter les psaumes est une manière de passer le temps qui ne me convient pas du tout.

Chestov

L'étonnant n'est pas que Mathu-
salem ait vécu 969 années, c'est qu'à
530 ans il ne les paraissait pas.

TRISTAN BERNARD

Le nombre de veuves qui ne se
consolent pas d'avoir perdu leur
chat.

OBALDIA

C'est hélas une évidence que plus
le singe se rapproche de l'homme,
plus il devient triste.

L'EXPLORATEUR CHARLES SOFFRAY

Une femme actrice est plus qu'une femme. Un homme acteur moins qu'un homme.

ROGER KARL

L'univers est une catastrophe tranquille.

SAINT-POL-ROUX

Le chat : la sentinelle de l'invisible.

OBALDIA

Pourquoi écrivez-vous ? J'écris pour moi, pour mes amis et pour adoucir le cours du temps.

JORGE LUIS BORGES

Ce qu'il y a de mieux dans le théâtre de Lope, c'est l'absence de téléphone.

RAMON GÓMEZ DE LA SERNA

Le mensonge peut courir cent ans, la vérité le rattrape en un jour.

PROVERBE AFRICAIN

Deauville est près de Paris mais loin de la mer.

TRISTAN BERNARD

Il est plus facile de paraître digne des emplois qu'on n'a pas que de ceux que l'on exerce.

LA ROCHEFOUCAULD

Il faut beaucoup de temps pour devenir jeune.

PABLO PICASSO

L'homme est un arbre inversé. Sa racine est au ciel.

PLATON

Je me suis réveillé vendredi, mais comme l'univers est en pleine expansion, il m'a fallu plus de temps que de coutume pour trouver ma robe de chambre.

WOODY ALLEN

S'asseoir aux portes du Paradis pour observer les gens qui s'y présentent, y sont admis, ou y sont exclus.

NATHANIEL HAWTHORNE

Je prierai pour que le fracas des machines devienne une musique, pour que la fumée des cheminées devienne de l'encens.

PAUL VI

Les fourmis ne se mettent jamais en grève.

FRANÇOISE GIROUD

Dormir sept heures ou sept millions d'années, c'est tout un, à l'instant où on s'éveille.

JOHN COWPER POWYS

PERLES DE VIE

La douleur embellit l'écrevisse.

PROVERBE RUSSE

Non, personne ne peut confondre le sourire de l'humour avec le ricanement de l'ironie.

JANKÉLÉVITCH

Qui prend un tigre pour monture ne peut plus en redescendre.

PROVERBE CHINOIS

On commence à se sentir jeune à cinquante ans et alors il est trop tard.

PABLO PICASSO

Les chaînes du mariage sont si lourdes qu'il faut être deux pour les porter, parfois trois.

ALEXANDRE DUMAS FILS

La poésie : c'est le point où la prose décolle.

LÉON-PAUL FARGUE

Ne mets pas ton génie au fond d'une matrice.

GUSTAVE FLAUBERT

Je me suis fait à l'idée que je n'étais qu'une simple apparition.

COLERIDGE

Le temps des hommes est de
l'éternité pliée.

JEAN COCTEAU

Le rêve de toute cellule : devenir
deux cellules.

FRANÇOIS JACOB

Il ne faut pas juger Dieu sur ce
monde ci. C'est une étude de lui qui
est mal venue.

VINCENT VAN GOGH

Comment était votre visage avant
que votre père et votre mère ne se
soient rencontrés ?

MARGUERITE YOURCENAR

Seul, ce qui est fécond est vrai.

Goethe

Les jeunes imbéciles ne font jamais avec le temps que de vieux cons.

Aragon

Si je n'avais déjà porté en moi le monde par pressentiment, avec les yeux ouverts, je serais resté aveugle.

Goethe

J'ai séduit la foule et en me retrouvant seul dans ma chambre j'ai eu envie de me tirer une balle dans la tête.

Kierkegaard

J'aime la solitude, même quand je suis seul.

JULES RENARD

Il est plus facile de changer la nature du plutonium que l'esprit du mal chez les hommes.

ALBERT EINSTEIN

Une même loi pour le lion que pour le bœuf, cela s'appelle oppression.

WILLIAM BLAKE

Il arrive un moment où il vaut mieux fermer sa braguette et ouvrir une bonne bouteille.

HENRY DE MONFREID

Après cette vie et la suivante, tous nos embêtements seront finis.

PROVERBE ANGLAIS

Épouse ton amère solitude, elle deviendra la douce mère des œuvres généreuses.

EDMOND GILLIARD

Quand le cœur pleure sur ce qu'il a perdu, l'esprit rit de ce qu'il a trouvé.

APHORISME SOUFI

Le corps n'est que de l'esprit coagulé.

HEMSTERHUIS

Le plus extraordinaire serait que le monde ait un sens.

ALBERT EINSTEIN

C'est un bien grand malheur pour l'humanité que ce soit la maladie qui est contagieuse et non pas la santé.

JOSEPH DE MAISTRE

Je ne vis pas dans l'infini parce que dans l'infini on n'est pas chez soi.

TRISTAN BERNARD

Le cinéma nous donne des admirateurs, le théâtre nous fait des amis.

EDWIGE FEUILLÈRE

Il est plus facile de mourir pour la femme qu'on aime que de vivre avec elle.

ANDRÉ MAUROIS

Écrire c'est donner une profondeur au silence.

JOE BOUSQUET

Tout ce que je demande aux politiques c'est qu'ils se contentent de changer le monde sans changer la vérité.

JEAN PAULHAN

Placez votre main sur un poêle une minute et ça vous semblera durer une heure. Asseyez-vous une heure près d'une jolie fille et cela vous semblera durer une minute. C'est cela la relativité.

ALBERT EINSTEIN

Tant de mains pour transformer ce monde et si peu de regards pour le contempler.

JULIEN GRACQ

Aucun artiste ne tolère le réel.

NIETZSCHE

Un de ces repas funèbres qui tournent presque toujours à un joyeux rassemblement de rescapés.

JULIEN GREEN

Pourquoi se déplacer, puisque c'est soi-même qu'on emporte en voyage ?

SÉNÈQUE

L'art de peindre n'est que l'art d'exprimer l'invisible par le visible.

EUGÈNE DE FROMENTIN

Il faut avoir l'esprit dur et le cœur doux.

JACQUES MARITAIN

Je ne comprends rien à la vie, mais je ne dis pas qu'il soit impossible que Dieu y comprenne quelque chose.

JULES RENARD

Maladies : les essayages de la mort.

JULES RENARD

C'est la plus fidèle de toutes les femmes : elle n'a trompé aucun de ses amants.

JULES RENARD

Il a perdu une jambe en 70, il a gardé l'autre pour la prochaine guerre.

TRISTAN BERNARD

La lune est pleine… Oui, j'ignore qui l'a mise dans cet état.

ALPHONSE ALLAIS

Je sais que la littérature ne nourrit pas son homme. Par bonheur, je n'ai pas très faim.

JULES RENARD

Il n'y a malheureusement pas de remède de bonnes femmes contre les mauvaises.

JULES RENARD

Et pourquoi n'applaudit-on pas à un discours funèbre ? Ça ne gênerait pas le mort qui est sourd et ça ferait bien plaisir à l'orateur qui ne sait que faire de ses feuilles manuscrites quand le voisin lui rend son chapeau.

JULES RENARD

L'homme moderne se contente de peu.

PAUL VALÉRY

La vie, je la comprends de moins en moins, et je l'aime de plus en plus.

JEAN-MICHEL FOLON

Ceux qui dorment agissent et participent à l'évolution du monde.

HÉRACLITE

Le baiser de Judas – Tout de même, embrasser Dieu !

Obaldia

Échangerais volontiers femme de quarante ans contre deux de vingt ans.

Pierre Dac & Francis Blanche

On n'enseigne pas ce que l'on sait, on enseigne ce que l'on est.

Jean Jaurès

N'importe où, en quinze jours, une campagne de presse peut exciter une population incapable de jugement à un tel degré de folie que les hommes sont prêts à s'habiller en soldats pour tuer et se faire tuer.

ALBERT EINSTEIN

Ce sont les tonneaux vides qui font le plus de bruit.

PROVERBE CHINOIS

Un mari ne doit jamais s'endormir le premier ni se réveiller le dernier.

BALZAC

Mon cœur, mon canard, mon biniou, mon homme, merci !

Ah merci ! Sans toi je serais passée à côté de moi.

OBALDIA

L'homme (…) n'est rien d'autre que la somme de ses actes.

SARTRE

Ce sont les rêves des morts qui forment la réalité.

JORGE LUIS BORGES

Il a été répandu beaucoup de sang anonyme.

LICHTENBERG

Je ne demande pas à quelle race un homme appartient, il suffit que ce soit un être humain, ça ne peut rien être de pire.

MARK TWAIN

Ah, si van Gogh avait pu s'offrir un van Gogh !

OBALDIA

Je bois les eaux du Léthé. Le docteur m'a interdit la tristesse.

POUCHKINE

Si vous voulez que l'on garde votre secret, le plus sûr est de le garder vous-même.

SÉNÈQUE

La terre est ronde pour ceux qui s'aiment.

JEAN GIRAUDOUX

C'est mon opinion et je la partage.

HENRI MONNIER

Le temps, ce grand maigre.

HENRI MONNIER

Tout le monde n'a pas la chance d'être orphelin.

JULES RENARD

On dit que les cygnes chantent avant de mourir. Ce serait bien que certaines personnes meurent avant de chanter.

COLERIDGE

Le biologiste passe. La grenouille reste.

JEAN ROSTAND

Empoisonner quelqu'un ou un groupe de personnes avec le vin de messe.

NATHANIEL HAWTHORNE

Bien peu de femmes dans mes pièces, par économie de fleurs.

JULES RENARD

Sans la vache, les pauvres et les riches auraient beaucoup de mal à vivre.

BUFFON

PERLES DE VIE

Il est toujours plus tard que tu ne penses.

PROVERBE CHINOIS

La puce est un homard minuscule.

MAX JACOB

Je vous le dis, la pierre angulaire du bonheur humain est la pensée de la mort.

JOHN COWPER POWYS

L'un des grands périls de notre temps : le surpeuplement.

ERNST JÜNGER

L'ignorance ne s'apprend pas.

GÉRARD DE NERVAL

Qu'est-ce en effet que l'imagination sinon la mémoire de ce qui ne s'est pas encore produit ?

JULIEN GREEN

Il ne suffira pas d'une vie entière pour se faire pardonner d'exister.

JEAN-DENIS BREDIN

Un homme peut tout pardonner à une femme sauf de ne pas la rendre heureuse.

CLARA MALRAUX

Il est des êtres qui, à l'heure de leur mort, jettent une grande lueur.

SOLJENITSYNE

Les préparatifs du jugement dernier tirent encore en longueur.

SAINT FRANÇOIS DE SALES

La vérité enfante le nu.

PAUL VALÉRY

Le monde tournera vers toi le visage que tu tournes vers lui.

TCHOUANG-TSEU

Les dépenses sont notre signature.

GASTON BACHELARD

Il est plus difficile d'accorder les philosophes que les pendules.

SÉNÈQUE

Ah ! Ah ! dit don Manuel en portugais.

ALEXANDRE DUMAS

L'amour fait passer le temps et le temps fait passer l'amour.

PROVERBE ITALIEN

Il était tellement occupé à faire le bien qu'il n'avait pas le temps d'être bon.

RABINDRANATH TAGORE

Dans ses rêveries, l'homme est souverain.

GASTON BACHELARD

La vieillesse nous met hors la loi.

MAURIAC

J'ai vu que les hommes étaient étonnés de mourir et qu'ils n'étaient point étonnés de naître. C'est là cependant ce qui mériterait le plus leur surprise et leur admiration.

LOUIS-CLAUDE DE SAINT-MARTIN

La vertu des femmes n'est que la maladresse des hommes.

CHESTERTON

Il est des êtres, assez rares il est vrai, qui parlent peu parce qu'ils ont trop à dire.

RAYMOND ABELLIO

L'homme est fait pour le bonheur comme l'oiseau pour voler.

BORIS PASTERNAK

J'appartiens à ce parti d'opposition qui s'appelle la vie.

BALZAC

Cette terre ramasse des miettes de pain qui proviennent des cieux.

DJALÂL AD-DÎN RÛMI

Comprendre est beaucoup plus difficile que savoir.

Adler

L'obstacle est le père de l'homme.

Chamfort

Il devrait y avoir quelque coercition des lois contre les écrivains ineptes et inutiles comme il y en a contre les vagabonds et les fainéants.

Montaigne

Ne pouvant faire que ce qui est juste fût fort, on a fait que ce qui est fort fût juste.

Pascal

Si j'étais deux, nous nous amuse-
rions comme des fous…

Alain-Fournier

Il faut vivre sous le signe d'une
désinvolture panique, ne rien prendre
au sérieux, tout prendre au tragique.

Nimier

Ayez des idées arrêtées, mais pas
toujours au même endroit.

Jules Renard

Là où il n'y a pas de conflits
visibles, il n'y a pas de liberté.

Montesquieu

S'introduire comme un rêve dans l'esprit d'une jeune fille est un art, en sortir est un chef-d'œuvre.

KIERKEGAARD

Voilà bien les hommes ! Tous également scélérats dans leurs projets, ce qu'ils mettent de faiblesse dans l'exécution, ils l'appellent probité.

CHODERLOS DE LACLOS

Chacun de nous fait son destin, mais certains en rajoutent !

TOURGUENIEV

Quand on peut tout ce que l'on veut, il n'est pas aisé de ne vouloir que ce que l'on doit.

LOUIS XIV

Ce que l'on te reproche, cultive-le. C'est toi.

COCTEAU

L'esclavagisme volontaire est l'orgueil le plus profond des esprits morbides.

LAWRENCE D'ARABIE

Nous n'héritons pas la terre de nos parents, nous l'empruntons à nos enfants.

ANTOINE DE SAINT-EXUPÉRY

La philosophie est comme la Russie : pleine de marécages, et souvent envahie par les Allemands.

ROGER NIMIER

J'étais cru, j'étais cuit, je suis calciné.

DJÂLAL-AD-DÎN-RÛMÎ

Shakespeare est mort. Corneille est mort, Chateaubriand est mort, Virgile est mort, Dante est mort, Stendhal est mort, Tchekhov est mort, Pirandello est mort, et moi-même, je ne me sens pas très bien.

JULES RENARD

Ce crâne vide et ce vide éternel !

PAUL VALÉRY

Il faut se prêter aux autres et se donner à soi-même.

MONTAIGNE

Le seul problème pour moi : est-ce que ce monde existe ?

UMBERTO ECO

J'ai toute ma vie écrit des dialogues et voici que je me trouve tout à coup en face d'un terrible monologue : le discours académique.

LABICHE

La chair de requin a un goût de raie avec une forte odeur d'urine.

BUFFON

À l'égard de celui qui vous prend votre femme, il n'est de pire vengeance que de la lui laisser.

SACHA GUITRY

Il faut rire avant d'être heureux, de peur de mourir sans avoir ri.

LA BRUYÈRE

Mallarmé est intraduisible, même en français.

JULES RENARD

Quand on veut écrire des femmes, (...) il faut tremper sa plume dans l'arc-en-ciel et secouer la poussière des ailes de papillon.

DIDEROT

Sois avec ce monde comme si tu n'y avais jamais été, et avec l'autre comme si tu ne devais pas le quitter.

Hasan Basri

Tantôt je pense et tantôt je suis.

Paul Valéry

Ne parlez jamais de vous, ni en bien, car on ne vous croirait pas, ni en mal, car on ne vous croirait que trop.

Confucius

Le miracle ce n'est pas Dieu, c'est nous.

Marcel Jouhandeau

Fais de ta vie un rêve, et d'un rêve une réalité.

ANTOINE DE SAINT-EXUPÉRY

Les femmes extrêmement belles étonnent moins le second jour.

STENDHAL

La conscience a été donnée à l'homme pour transformer la tragédie de la vie en une comédie.

DANTE

La lune est le soleil des statues.

COCTEAU

Chaque âme est à elle seule une société secrète.

MARCEL JOUHANDEAU

La musique creuse le ciel.

BAUDELAIRE

Rien de pire pour un ogre que de souffrir d'une carie dentaire.

OBALDIA

L'amitié est une âme en deux corps.

ARISTOTE

PERLES DE VIE

Si une femme veut une tiare de diamants, elle vous expliquera que ça lui fait économiser un chapeau.

JÉRÔME K. JÉRÔME

J'ai enfin atteint mon plus haut niveau d'incompétence.

DR LAURENCE PEBER

Rêvons, acceptons de rêver, c'est le poème du jour qui commence.

ROBERT DESNOS

Car la réalité est terriblement supérieure à toute histoire, à toute fable, à toute divinité, à toute surréalité.

Antonin Artaud

La vie temporelle n'est que le noviciat de l'éternité.

saint Augustin

Qui naît pointu ne peut mourir carré.

Tchouang-tseu

Qu'importe qu'une femme se partage si les morceaux sont bons.

Chamfort

À l'inverse de Dieu, l'homme devrait se reposer six jours et travailler le septième.

H.D. THOREAU

La beauté plus la pitié, c'est ce qui approche le plus une définition de l'art.

VLADIMIR NABOKOV

Enseigner un enfant, ce n'est pas remplir un vase, c'est allumer un feu.

MONTAIGNE

Un livre doit être la hache pour la mer gelée en nous.

FRANZ KAFKA

L'homme est l'ennemi le plus cruel de l'homme.

FICHTE

Si vous voulez être heureux, soyez-le !

TOLSTOÏ

Le seul secret que gardent les femmes, c'est celui qu'elles ignorent.

SÉNÈQUE

En close bouche n'entre point mouche.

PROSPER MÉRIMÉE

J'connaîtrai jamais le bonheur sur
la terre, je suis bien trop con.

QUENEAU

La terre est le tapis de tes beaux
pieds d'enfant.

ALFRED DE VIGNY

Le monde est trop beau pour
qu'on ne le remarque pas.

SÉNÈQUE

Fais du bien à ton corps pour que
ton âme ait envie d'y rester.

PROVERBE INDIEN

Jésus-Christ est né à Quimper.

MAX JACOB

Souvent Dieu, mes frères, pour parvenir à ses fins, emploie des moyens vraiment diaboliques.

LACORDAIRE

Le beau, c'est la splendeur du vrai.

PLATON

DU MÊME AUTEUR (suite)

LE CENTENAIRE, Grasset, Les Cahiers Rouges, 1983.

LA PASSION D'ÉMILE, *L'instant romanesque*, Balland ; Grasset, 1998.

POIDS ET MESURES, frontispice de Lucien Coutaud, illustrations de Jean Peschard, Les Impénitents, 1959.

OBALDIA, *Humour secret*, Julliard, 1966.

LES RICHESSES NATURELLES, *récits-éclairs*, Julliard, 1952 ; Grasset, 1970 (édition revue et augmentée).

CHEZ MOI, Grasset Jeunesse, illustrations de Letizia Galli, 2001.

INNOCENTINES, *poèmes pour enfants et quelques adultes*, Grasset, 1969 ; Les Cahiers Rouges, 1991.

EXOBIOGRAPHIE, *mémoires*, Grasset, 1993 (Prix Marcel-Proust).

SUR LE VENTRE DES VEUVES, *poèmes*, Grasset, 1996 (Grand Prix de la Langue de France).

MOI, J'IRAI DANS LA LUNE, Grasset, 1996.

LA JUMENT DU CAPITAINE, *pensées, textes et répliques*, éd. du Cherche-Midi, 2004.

FANTASMES DE DEMOISELLES, FEMMES FAITES OU DÉFAITES CHERCHANT L'ÂME SŒUR, Grasset, 2006.

DISCOURS DE RÉCEPTION À L'ACADÉMIE FRANÇAISE ET RÉPONSE DE BERTRAND POIROT-DELPECH, Grasset, 2000.

DISCOURS SUR LA VERTU, Imprimerie Nationale, 2006.

MERCI D'ÊTRE AVEC NOUS, *Impromptus*, Grasset, 2009.

Mise en pages PCA
44400 Rezé

Cet ouvrage a été imprimé
par la Nouvelle Imprimerie Laballery
pour le compte des éditions Grasset
en juillet 2017

Première édition, dépôt légal : mars 2017
Nouveau tirage, dépôt légal : juillet 2017
N° d'édition : 20037 – N° d'impression : 707163
Imprimé en France